DES DE L'ARQUEOLOGIA, REVIURE L'EDAT MITJANA

~

RECONSTRUCTING THE MIDDLE AGES THROUGH ARCHAEOLOGY

Lliçons / Lessons, 7

DES DE L'ARQUEOLOGIA, REVIURE L'EDAT MITJANA

~

RECONSTRUCTING THE MIDDLE AGES THROUGH ARCHAEOLOGY

Marta Sancho i Planas

Universitat de Barcelona

Publicacions i Edicions

Universitat de Barcelona. Dades catalogràfiques

Sancho i Planas, Marta
   Des de l'arqueologia, reviure l'edat mitjana = Reconstruct-
   ing the Middle Ages through archaeology. – (Lliçons =
   Lessons ; 7)

   Text en castellà i anglès
   ISBN 978-84-475-3918-5

   I. Títol II. Títol paral·lel III. Col·lecció: Lliçons (Publica-
   cions i Edicions de la Universitat de Barcelona) ; 7
   1. Arqueologia medieval 2. Història de la ciència

© Publicacions i Edicions de la Universitat de Barcelona
   Adolf Florensa, s/n
   08028 Barcelona
   Tel. 934 035 430
   Fax: 934 035 531
   www.publicacions.ub.edu
   comercial.edicions@ub.edu

DISSENY DE LA COL·LECCIÓ	Marta Serrano
DIRECTOR DE LA COL·LECCIÓ	Carles Mancho, director de l'IRCVM
ISBN	978-84-475-3918-5
DIPÒSIT LEGAL	B-20.545-2015
IMPRESSIÓ I RELLIGAT	Gráficas Rey

ÍNDEX

DES DE L'ARQUEOLOGIA, REVIURE L'EDAT MITJANA

Aquest text és una adaptació de la lliçó impartida el 17 d'octubre de 2012 a la Universitat de Barcelona, en el marc de les VIII Jornades de Cultures Medievals organitzades per l'IRCVM. Alhora, s'inscriu en el projecte «Comunitats de muntanya en el pas de l'antiguitat tardana a l'alta edat mitjana», de la Universitat de Barcelona.

Introducció

Fa uns anys, amb motiu de la publicació de la monografia sobre el castell de Mur, en un moment d'inspiració i referint-me als estudiants que formaven part de l'equip d'excavacions, vaig escriure el següent:

> Són aquests nois i noies els que desenvolupen una sensibilitat especial i una emoció indescriptible quan, per exemple, una subtil olor de cendres humides els envaeix l'olfacte. El paletí que tenen a les mans va descobrint un nivell d'incendi atrapat des de fa segles entre els estrats de destrucció i d'ocupació. Descobreixen l'arqueologia pels sentits, l'olor, el tacte, l'oïda, la vista... només hi falta el gust, tot i que no estic del tot segura que no hi intervingui en algun cas de malaltia greu.
>
> L'olfacte, aquell sentit que ens fa reviure els més intensos records de la infantesa, ens vol parlar en

aquells instants d'un passat desconegut, i ens esforcem per imaginar com succeí, quan i per què. La resposta, i encara provisional i pendent de revisió, no s'aconsegueix amb facilitat i només un mestre et pot guiar en l'ofici fins a assolir el coneixement, les habilitats i les intuïcions que et permetran interpretar el registre arqueològic. I així, a poc a poc, amb insistència, constància, paciència i dedicació, tots anem esdevenint una mica mestres i sentim una gran satisfacció personal quan comencem a trobar les nostres pròpies claus de comprensió.

Aquest text, escrit per intentar explicar el seguit de sensacions i emocions que els arqueòlegs experimentem quan estem excavant, podria ser una resposta a les preguntes que se'ns fan sovint: «Però... per què ho feu, això? Què busqueu? Ja us compensa, aquest esforç?».

ELS PRECEDENTS A EUROPA

De fet, l'arqueologia —i en concret la centrada en el període medieval— té ja una llarga història. En podem trobar els inicis en les primeres catalogacions de monuments que es van realitzar per tot Europa des de finals del segle XVIII i durant tot el segle XIX. A la segona meitat del segle XIX, aquestes actuacions catalogadores es van completar amb intervencions dirigides a la restauració de monuments segons uns ideals estètics poc científics però característics del seu temps. Aquest seria el cas de les intervencions de Viollet-le-Duc a la vila de Carcassona o de la restauració del castell de Windsor feta per Augustus W. N. Pugin. Es tractava, tot plegat, d'una activitat lligada al que anomenem antiquària o col·leccionisme i al servei dels ideals romàntics de l'època. Durant tot aquest període tan sols trobem algunes excavacions pròpiament dites, centrades sobretot en llocs de culte i en necròpolis, amb arqueòlegs com ara A. d'Andrade a Itàlia, Pitt-Rivers a Anglaterra, Fischer a Noruega i Stolpe a Suècia.

La primera meitat del segle XX va estar ideològicament marcada pel nazisme i per la reacció en contra, amb Alemanya i Polònia com a màxims representants d'aquests corrents. Els primers a la recerca de la puresa de la raça i els altres buscant els seus orígens lluny de tota influència germànica.

A Alemanya destaca l'actuació de H. Jankuhn, especialment per les seves aportacions metodològiques en el treball de camp, i la de G. Kossinna, les idees del qual foren emprades per la ideologia nazi per demostrar els drets històrics dels germànics sobre extensos territoris. De gran importància van ser les excavacions al jaciment de Hedeby en danès o Haithabu en la seva forma germànica, situat a la frontera entre Alemanya i Dinamarca, i als hàbitats abandonats de Hohenrode, Gladbach i Merdinghen. Els polonesos, esforçats a marcar la seva diferència amb els germànics, van excavar en jaciments fortificats —entre els quals Biskupin, Kecko, Gniezno i Poznan—, mentre J. Kostrzewski escrivia la síntesi dels orígens polonesos.

A Anglaterra, arqueòlegs com ara M. W. Beresford, W. G. Hoskins i M. Wheeler enceten la línia de recerca arqueològica sobre despoblats medievals. A Escandinàvia es desenvolupa l'anomenada arqueologia rural amb noms destacats com són els de R. Blomqvist a Suècia i G. Hatt i A. Steensberg a Dinamarca, alhora que s'iniciaven els primers estudis d'arqueologia medieval a les universitats de Lund i Uppsala de la mà d'O. Rydbeck i B. Thordeman, respectivament. A Itàlia i França s'anaven obrint pas noves tendències centrades especialment en les formes d'hàbitat i l'arqueologia de la mort amb l'excavació de necròpolis llombardes i merovíngies, i s'iniciaven els estudis de produccions ceràmiques postclàssiques a Itàlia, amb investigadors com ara G. Ballardi i L. Conton.

Val a dir, però, que no va ser fins després de la Segona Guerra Mundial quan veritablement proliferà la recerca en el camp de l'arqueologia medieval. Fou llavors que s'incrementà el nombre de publicacions i d'institucions especialitzades en arqueologia medieval, com també el de les universitats que impartien formació en aquesta disciplina.

Cal destacar, per sobre de tot, l'activitat desenvolupada per l'Institut d'Història de la Cultura Material de l'Acadèmia de Ciències de Varsòvia dirigit per l'arqueòleg medievalista W. Hensel des del 1955. Així mateix, entre 1945 i 1950 es van excavar més de cinquanta jaciments, principalment en les ciutats que havien estat destruïdes per la guerra, i s'aplicaren les propostes interpretatives marxistes amb l'objectiu comú de descobrir els orígens de la nació polonesa.

Pel que fa a institucions i organismes de recerca, esmentarem el Deserted Medieval Village Research Group, el Medieval Village Research Group i la Society for Medieval Archaeology a Anglaterra, on destaquen els treballs realitzats per M. Beresford i J. Hurst a Wharram Percy; el Centro Italiano di Studi sull'Alto

Medioevo de Spoleto i el Laboratorio di Informatica Applicata all'Archeologia Medievale de Siena a Itàlia —amb jaciments tan destacats com els de Rocca San Silvestro, amb R. Francovich dirigint les excavacions—; el Centre de Recherches Archéologiques Médiévales de Cahen, el Laboratoire d'Archéologie Médiévale d'Aix-en-Provence i el Centre d'Archéologie Médiévale du Languedoc a Carcassonne a França, on cal remarcar la recerca realitzada per G. Démians d'Archimbaud al castell de Rougiers.

També les publicacions especialitzades començaren a proliferar amb capçaleres importants: *Zeitschrift für Archäeologie des Mittelalters* a Alemanya; *Medieval Archaeology* a Anglaterra; *Archéologie Médiévale, Cahiers Archéologiques, fin de l'Antiquité et Moyen Âge, Archéologie du Midi Médiévale* a França; *Archeologia Urbium* a Polònia, i *Archaeologia Medievale* a Itàlia.

Aquesta activitat investigadora anà acompanyada de la formativa a nivell universitari. Es poden comptar per desenes les universitats europees que impartiren formació en arqueologia medieval, especialment a Itàlia, França i Anglaterra.

Els precedents a Catalunya i Espanya

A casa nostra les coses no són gaire diferents, tot i les dificultats de la postguerra i de la llarga dictadura. Els precedents que s'endinsen al segle xix inclouen catalogacions de monuments i intervencions en el patrimoni arquitectònic, amb restauracions com la d'Elies Rogent al monestir de Ripoll. L'arqueologia medieval es mantingué, però, a l'ombra de la prehistòrica, protohistòrica i clàssica fins ben entrat el segle xx. En aquest punt es poden anomenar les iniciatives portades a terme per l'Institut d'Estudis Catalans, l'Acadèmia de Bones Lletres de Barcelona o el Centre Excursionista de Catalunya. D'altra banda, publicacions com ara *Curso breve de Arqueología y Bellas Artes*, de F. P. Naval de l'any 1926, i l'obra *Nocions d'arqueologia sagrada catalana* de J. Gudiol publicada l'any 1931 fan aportacions a aquesta disciplina. Entre els investigadors cal no oblidar els treballs de J. M. Barandiarán, L. Torres Balbás, M. Gómez Moreno, L. Menéndez Pidal, L. Díez-Coronel, A. del Castillo, P. Verrié i P. de Palol. Però no fou fins a la publicació l'any 1977 del *Manual de arqueología medieval* de M. de Boüard, traduït i ampliat per Manuel Riu, quan veritablement es pot parlar de l'arqueologia medieval com a disciplina amb identitat pròpia en l'àmbit català i espanyol per extensió.

L'any 1980 es va fundar l'Asociación Española de Arqueología Medieval i l'any 1985 es va celebrar el I Congreso de Arqueología Medieval Española, del qual ja s'han celebrat cinc edicions. A Catalunya destaca la celebració, des de 1998, del Congrés d'Arqueologia Medieval i Postmedieval, que en la seva cinquena edició se celebrà a Barcelona l'any 2014. Tant l'un com l'altre acostumen a prioritzar un tema concret sense oblidar altres intervencions realitzades en els períodes intercongressuals. Cal esmentar igualment les Jornades d'Arqueologia i Paleontologia organitzades des del Servei d'Arqueologia, que se solen fer seguint demarcacions territorials. Els reculls d'excavacions que contenen són la millor eina per copsar la salut de l'arqueologia medieval que, any rere any, demostra la seva vitalitat amb un gran nombre d'intervencions. La Tribuna d'Arqueologia, organitzada anualment pel mateix Servei d'Arqueologia, aporta una selecció de les intervencions considerades més interessants o destacades en l'àmbit català. Si es fa un seguiment dels números publicats des de

1982, es pot observar el creixement del pes de l'arqueologia medieval a Catalunya.

Pel que fa a la formació, tant a Catalunya com a l'Estat espanyol, podem dir que ha anat avançant des d'aquell primer nucli de la Universitat de Barcelona amb M. Riu impartint les seves ensenyances. En l'actualitat, la docència especializada s'imparteix en universitats de tot l'Estat entre les quals destaquen les de Granada i del País Basc, tot i que majoritàriament la docència de l'arqueologia medieval està en mans de professors que, a títol individual, la incorporen en els seus programes docents. Per sort, aquesta tendència va canviant i ja s'ofereix un conjunt d'assignatures especialitzades en alguns graus d'arqueologia, per exemple el que actualment s'imparteix a la Universitat de Barcelona amb la possibilitat de cursar fins a 45 crèdits de temàtica medieval entre assignatures obligatòries i optatives d'un total de 240 crèdits.

La recerca i la docència han anat acompanyades de la publicació de revistes especialitzades entre les quals destaca el *Boletín de Arqueología Medieval*, publicat des de 1986 per l'Asociación Española de Arqueología Medieval, i *Arqueología y Territorio Medieval*, publicada des de 1994 per la Universidad de Jaén, sense oblidar els apartats i els volums annexos de l'*Acta Historica et Archaeologica Medievalia* publicada per la Universitat de Barcelona des de 1980.

LA SITUACIÓ ACTUAL

Es pot dir que actualment l'arqueologia medieval gaudeix de bona salut. A diferència de temps passats no gaire llunyans, ja ningú no s'atreveix a qüestionar el potencial de l'arqueologia per a la recerca del període medieval i són moltes les veus que reclamen una presència més destacada d'aquesta disciplina sobretot en l'àmbit de la formació universitària, on encara hi ha molta feina a fer.

Aquí, com a tot Europa, els darrers anys de creixement econòmic han afavorit l'emergència de l'arqueologia preventiva professionalitzada i han proliferat les empreses especialitzades en aquestes tasques vinculades a les promocions immobiliàries i a la construcció d'infraestructures. Majoritàriament, aquestes intervencions s'han trobat amb un registre arqueològic dominat per les evidències d'època medieval, fet que ha donat un impuls espectacular al coneixement que, de l'edat mitjana, es tenia des del punt de vista arqueològic. D'altra banda, l'arqueologia vinculada a projectes de recerca també ha anat desenvolupant una activitat cada vegada més oberta a noves propostes i nous objectius, superant els plantejaments més clàssics vinculats a la recerca en despoblats i l'estudi de necròpolis.

De fet, arqueòlegs medievalistes participen en projectes interdisciplinaris als quals aporten la seva visió particular, sovint al costat d'arqueòlegs prehistoriadors, protohistoriadors i clàssics, però també en estreta col·laboració amb documentalistes, historiadors de l'art, filòlegs i antropòlegs. La varietat de temàtiques tractades no para de créixer, i al costat d'àmbits més habituals com ara l'estudi de fortificacions i monestirs es plantegen enfocaments força més innovadors com ara els estudis paleopaisatgístics, sobre l'organització i l'estructuració del territori, a l'entorn de l'explotació de recursos i tècniques productives, en relació amb l'arquitectura, les tècniques constructives, l'urbanisme i l'evolució de les ciutats i els nuclis de poblament, per posar-ne alguns exemples.

Tot i això, els que ens dediquem a aquesta tasca som conscients del camí que encara queda per recórrer. Trobem a faltar una organització de la recerca més ben estructurada, una inversió de recursos més decidida i, personalment, una més gran coordinació entre les persones que actualment fem investigació en aquest camp.

COM S'HA D'ENTENDRE L'ARQUEOLOGIA MEDIEVAL I QUINES SÓN LES SEVES APORTACIONS

A mitjan segle passat, L. Febvre ens deia:

> Hay que utilizar los textos, sin duda. Pero todos los textos. Y no solamente los documentos de archivo [...]. También un poema, un cuadro, un drama son para nosotros documentos, testimonios de una historia viva y humana, saturados de pensamiento y de acción en potencia. [...] Porque la historia se edifica, sin exclusión, con todo lo que el ingenio de los hombres pueda inventar y combinar para suplir el silencio de los textos, los estragos del olvido (Lucien FEBVRE, 1992 (1a ed. francesa 1952). *Combates por la historia*. Barcelona: Ariel, p. 29-30).

Tot i els anys transcorreguts abans que aquestes paraules hagin estat escoltades i acceptades pel medievalisme del nostre país, podem afirmar que en l'actualitat ja ningú no dubta de la importància de l'arqueologia com a font vàlida per a l'estudi de l'edat mitjana.

Més tard, als anys setanta, l'arqueòleg Edward C. Harris ens proposava l'aplicació d'un mètode arqueològic que va obrir les portes a l'arqueologia actual, el mètode estratigràfic amb control/registre de fitxes i l'elaboració del que anomenem màtrix. Aquest mètode va suposar un veritable revulsiu per a l'arqueologia medieval, especialment a Catalunya, ja que ens va alliberar d'unes metodologies d'excavació que havien estat pensades per a l'arqueologia prehistòrica i protohistòrica, però s'adaptaven molt malament a l'excavació d'estructures pròpiament medievals.

No entraré ara en qüestions metodològiques que serien més adequades per a un altre tipus de discurs, tan sols vull introduir una reflexió. El mètode és important, especialment perquè permet registrar allò que un altre ja no podrà excavar. Cal saber aplicar el mètode i cal, també, saber adaptar-lo a cada jaciment amb flexibilitat i rigor. Però el mètode no és el nostre objectiu. Dissortadament, encara són molts els arqueòlegs que es perden en el mètode i no són capaços d'anar més enllà i d'arribar al veritable objectiu de la recerca arqueològica que és, en definitiva, construir coneixement històric.

Harris mateix, en la seva obra traduïda al castellà amb el títol de *Principios de Estratigrafía Arqueológica* (Barcelona, Crítica 1991), defineix quin és l'objectiu concret de la recerca arqueològica. Contràriament al que alguns pensen, no es tracta de trobar més o menys objectes més o menys bonics, ni tan sols de descobrir estructures com ara murs o sitges. El veritable objectiu és «identificar accions en el temps».

Una definició bonica, simple i efectiva que també es podria aplicar a una descripció sintètica dels objectius de la història mateixa.

La primera qüestió que ens plantegem els arqueòlegs és: Quina acció s'ha produït?

A partir d'aquí, les altres preguntes sorgeixen amb facilitat:

- Com s'ha produït? Ha estat una acció de construcció, de destrucció, d'abandonament, d'ocupació, de producció, de farciment, de transformació?
- Qui o què l'ha provocat? Ha estat un agent natural, climatològic, biòtic ja sigui animal o vegetal, o té un origen antròpic? I si és així, és fruit d'una

activitat individual o col·lectiva? Correspon a un determinat grup humà i és o no característic d'una determinada cultura?

- Quan va succeir? Es pot definir una datació relativa en relació amb altres accions identificades en el registre? Ha passat abans o després de...? A partir de les seves característiques, dels materials associats, de les analítiques en el cas que es puguin portar a terme, som o no capaços d'establir una datació absoluta?

- Per què es va produir? Aquí s'han de saber diferenciar les accions d'origen natural de les antròpiques. En aquest darrer cas ens hem de preguntar: amb quina finalitat i funció? Està vinculada a qüestions que es derivin de l'hàbitat, del culte, de la producció, de finalitats bèl·liques...?

- Quant va costar? I no ens referim a una quantificació monetària, sinó més aviat a l'esforç, dins del qual també podem comptabilitzar el cost econòmic.[1]

---

1 Val a dir que, aquesta darrera qüestió, me la va suggerir la Dra. Rosa Lluch en la seva intervenció a la taula rodona que va seguir l'acte en què vaig presentar aquesta lliçó.

Per respondre aquestes preguntes, els arqueòlegs prospectem, excavem, registrem i fem un control d'unitat estratigràfica i de materials, aixequem planimetries, fem fotografies, analitzem i estudiem els materials al laboratori i fem analítiques diverses. Tot plegat constitueix el que anomenem «registre arqueològic».

Això és el que ens aporta el mètode, i aquest és el problema i la virtut de la nostra tasca com a arqueòlegs. A vegades és tanta la feina que, una vegada feta, gairebé no ens queda temps per continuar la recerca i fer allò veritablement difícil, que és construir coneixement històric.

Anem més enllà del mètode i posem un exemple del que fem. Partim d'un dels objectes més habituals del registre arqueològic, un fragment de ceràmica. La descoberta o recuperació d'un fragment de ceràmica suggereix, per ell mateix, un seguit de qüestions pel simple fet de la seva existència en un determinat context arqueològic. Per produir aquell objecte ceràmic resulta imprescindible disposar de matèries primeres com ara les argiles, els desgreixants, l'aigua o el combustible.

El procés de producció s'inicia en l'obtenció d'aquestes matèries primeres; cal localitzar les argiles en un entorn proper, detectar les que presenten la qualitat desitjada, extreure-les i, posteriorment, transportar-les al lloc on han de ser manipulades. El mateix es pot dir dels desgreixants, tant si provenen de sorres com si es tracta de minerals o fragments ceràmics triturats. S'ha de preveure l'abastiment d'aigua, ja sigui per proximitat a un riu o una font, o bé conduint l'aigua amb una canalització o simplement transportant-la i emmagatzemant-la en la zona de treball. D'una manera similar cal procurar-se l'abastiment de combustible, en forma de llenya que algú ha d'anar a tallar, transportar i emmagatzemar. Totes aquestes accions són prèvies a la realització de l'objecte ceràmic concret, però sense elles no hi ha objecte. Entrem a continuació en la manipulació de les matèries primeres i en la fabricació de l'objecte. Segons el tipus d'argila i les característiques de la ceràmica que es pretén produir, cal conèixer unes tècniques més o menys complexes i dur a terme un seguit de processos per arribar a l'objectiu final: la manipulació de les matèries primeres prèvia al modelatge de la peça i la realització dels acabats, l'assecat en unes determinades condicions i la cocció.

Matèries primeres	Tècniques / Processos	Instal·lacions
Argiles	Decantació	Zones d'extracció
Desgreixants	Tamisat	Zones de tractament
Aigua	Modelatge	Taller amb torn
Combustible	Acabat	Zona d'assecat
	Assecat	Forn
	Cocció	Magatzem

Tot aquest procés implica l'existència d'uns espais de treball i d'unes instal·lacions més o menys complexes i més o menys extenses que poden estar emplaçades en diferents indrets: la zona on s'han extret les matèries primeres, allà on s'han tractat abans del modelatge, el lloc on s'ha donat forma a les peces, on s'han assecat, enfornat i finalment emmagatzemat.

Tot i no saber on s'han realitzat totes aquestes accions, podem saber del cert que han succeït i que, en conseqüència, han donat lloc a una peça de ceràmica de la qual hem trobat un petit fragment.

A partir d'aquí, és possible obrir una altra línia de recerca i intentar saber com va arribar aquesta peça al lloc on l'hem trobat. Ens podem plantejar si va ser feta en les proximitats pels mateixos habitants del lloc o bé si és fruit de contactes comercials de curt o de llarg recorregut. Segons la resposta a aquestes qüestions ens plantejarem l'existència d'artesans especialitzats o bé de mercaders i contactes entre llocs diversos que suposen el trànsit de productes, persones i idees.

Al mateix temps cal interrogar-se sobre la seva utilitat: qui el va utilitzar, en quin àmbit, per a fer què i com? Preguntes simples amb respostes sovint complicades i per a les quals els medievalistes comptem amb l'ajuda d'altres disciplines i fonts d'informació que presentarem més endavant.

Aquest mateix procés d'anàlisi es pot aplicar a qualsevol dels múltiples objectes, de materials diferents i d'usos variats que trobem en les excavacions. N'hi ha que han necessitat processos productius llargs, com per exemple els objectes metàl·lics. I n'hi ha també amb breus períodes de temps entre la producció i el consum, com ara els productes alimentaris que es detecten gràcies a les analítiques o a les troballes de llavors i altres indicadors biòtics.

No és aquest el moment d'entrar en detall sobre les aportacions de les analítiques fetes amb mostres preses en jaciments arqueològics. Tan sols indicarem que, cada vegada més, ens proporcionen dades generalment relacionades amb allò que no se sol conservar de manera visible als jaciments. Des d'un punt de vista conceptual, les dades no difereixen de les proporcionades per qualsevol altre objecte o artefacte: són evidències materials atrapades en els estrats i que es poden situar en un context determinat. Ja siguin pòllens, llavors, carbons, fitòlits o qualsevol altra resta microscòpica o macroscòpica, la informació que ens aporten pot ser tractada de la mateixa manera que qualsevol altra dada material, amb la diferència que, per naturalesa, la mateixa anàlisi permet establir un seguit d'estadístiques i de presentacions gràfiques molt interessants des del punt de vista interpretatiu. Per posar un parell d'exemples escollirem una resta biòtica macroscòpica, la fauna, i una de microscòpica, l'anàlisi de pol·len. En el primer cas s'obté informació sobre la diversitat d'espècies animals, els ossos de les quals han estat recuperats al llarg de l'excavació. Com en tota anàlisi, s'han de tenir en compte alguns aspectes correctors per no caure en errors interpretatius. En aquest cas, per exemple, les restes recuperades no mostraran tota la fauna existent en aquella zona en aquella època, sinó tan sols la que, per una raó o per una altra, va ser present, morta o viva, al jaciment. Les anàlisis de fauna ens aporten percentatges de la presència de cada espècie identificada, dades sobre la seva manipulació com ara l'esquarterament a què van estar sotmesos els animals o la manipulació (tallats, trencats...) i la cocció (bullits, cremats...). En el cas dels pòl·lens, una vegada estudiats els vents dominants per determinar-ne la procedència majoritària, es poden obtenir seqüències molt esteses en el temps que ens informen sobre l'evolució de la cobertura vegetal d'un ampli territori, i no només del lloc on s'ha pres la mostra. Així doncs, és possible determinar l'augment o la disminució de la capa forestal, l'aparició o la desaparició d'uns conreus determinats o l'existència o no de zones destinades a pastures.

Pel que fa als espais i les estructures, el procés d'estudi i d'interpretació segueix unes pautes similars a les aplicades als objectes. Una vegada descobertes, dibuixades, mesurades, fotografiades i posades en relació amb altres estructures properes, cal procedir a interpretar-les, prèvia datació i identificació.

En jaciments d'estratigrafia complexa, el primer pas és identificar les diferents fases per poder relacionar les diverses estructures d'un mateix moment sense interferències. L'evolució d'un edifici, les ampliacions o reduccions del seu espai, els canvis d'ús que ha sofert, les destruccions o reconstruccions són alguns dels aspectes que cal definir amb precisió abans d'abordar-ne la interpretació evolutiva de la manera més correcta possible. Igualment com succeeix amb els artefactes o els objectes, ens podem plantejar aspectes com ara la procedència dels materials de construcció, la seva manipulació, les tècniques emprades, els coneixements tècnics d'arquitectura i el resultat final, tot analitzant els espais creats, les dimensions, els accessos, la il·luminació i la funcionalitat.

Aquest darrer aspecte és el que dóna sentit a tota la feina feta. Si sabem quina era la destinació d'un espai concret, podrem establir-ne una interpretació històrica i, així, dotar-lo de contingut.

Hem parlat d'artefactes, d'indicadors biòtics i d'estructures, i aquestes són, a grans trets, les restes materials que els arqueòlegs trobem en les excavacions als jaciments. Ara ens toca parlar una mica d'aquests llocs. Amb la traducció i l'ampliació del manual de M. de Boüard degudes a M. Riu, publicat l'any 1977, va quedar establerta una tipologia de jaciments medievals que, poc o molt, continua vigent en l'actualitat. Aquesta classificació organitzava els jaciments segons la característica principal o la funció més representativa, de manera que teníem llocs d'hàbitat, llocs de defensa, llocs de culte i llocs de treball.

Certament, es tractaria d'una tipologia útil si no fos perquè, en realitat, la pràctica totalitat de jaciments medievals presenten característiques pròpies de tots els tipus definits. Si posem com a exemple un lloc d'hàbitat com pot ser l'Esquerda (Roda de Ter-Osona), trobem cases, places i carrers que defineixen un nucli d'hàbitat agrupat característic d'un determinat moment de l'edat mitjana. Aquest jaciment, però, té una magnífica església dedicada a sant Pere envoltada d'una necròpoli de notables dimensions, uns espais de treball identificats com a magatzem de lloses de coberta, graner, teler i ferreria i una muralla medieval sobre estructures d'època ibèrica, la qual cosa converteix el lloc en una potent fortificació, en què, segons sembla documentat, van refugiar-se els que van protagonitzar la revolta anomenada d'Aissó al segle ix.

Vist aquest exemple sembla difícil assignar-li una etiqueta concreta de les definides en la tipologia inicial. És veritat que, en determinats moments del procés de recerca en un jaciment concret, una tipologia domina sobre les altres, però més per voluntat de l'arqueòleg i per les exigències i els objectius de la recerca que no pas per la mateixa naturalesa del lloc. Tots els jaciments són complexos i així s'han d'entendre si no volem simplificar els resultats de la recerca. Tot i reconeixent el pes principal d'un dels tipus proposats en la tipologia, hem de ser capaços d'estudiar i mostrar aquesta complexitat fins i tot quan la descoberta d'un jaciment monotipològic ens pot fer creure en la seva simplicitat. Plantegem-nos l'excavació d'una necròpoli aïllada, sense església ni hàbitat en l'entorn immediat. Per definició, la necròpoli ens parla dels vius que hi van ser enterrats i que vivien no gaire lluny, de manera que només la podrem entendre en la mesura que aconseguim trobar el lloc d'hàbitat corresponent o bé si disposem de dades sobre aquests llocs.

Actualment, les tendències més avançades en arqueologia consideren que un jaciment no es pot entendre en la seva complexitat si no es té en compte el territori que l'envolta: la relació amb altres assentaments de la mateixa època, la xarxa de vies de comunicació, les característiques del medi natural, les àrees de captació de recursos i les formes d'explotació... Es tracta d'un pas més cap a la comprensió de la complexitat de la història, construïda des de l'arqueologia. En aquest sentit, la recerca arqueològica, per definició puntual i poc extrapolable, només pot avançar a partir de l'acumulació de dades procedents de múltiples intervencions arqueològiques, fins que s'obre la possibilitat de fer síntesi a partir de totes les aportacions disponibles. Un bon exercici en aquest sentit ha estat el realitzat recentment per Ch. Wickham en la seva obra *Una historia nueva de la Alta Edad Media. Europa y el mundo mediterráneo, 400-800*, publicada per Crítica l'any 2008 traduïda al castellà.

L'arqueologia medieval a Catalunya i a Europa en general comença a permetre la realització de treballs de síntesi, si més no pel que fa a temes concrets, però sobretot abunden les obres miscel·lànies amb aportacions de diversos autors sobre una temàtica o zona concreta que solen ser fruit de trobades d'especialistes. Aquestes aportacions ens permeten construir nous marcs teòrics que complementen els realitzats exclusivament a partir de les fonts escrites, i ofereixen una visió més rica i variada de la realitat històrica del nostre passat medieval. En aquest sentit són especialment interessants les obres que aborden temes que difícilment poden ser tractats només des dels documents, com ara l'organització territorial, les activitats productives o els rituals funeraris. Al mateix temps, l'arqueologia ens permet investigar sobre períodes amb escassetat de textos escrits com ara els segles de pas entre l'antiguitat tardana i l'època feudal.

EINES D'INTERPRETACIÓ PER AL REGISTRE ARQUEOLÒGIC MEDIEVAL

Amb el pas dels anys t'adones que bona part dels recursos de què disposes per procedir a la interpretació correcta del registre arqueològic, els has anat assolint gairebé sense ser-ne conscient. L'acumulació de coneixements i les relacions que la ment és capaç d'establir entre uns i altres aprenentatges és l'eina més poderosa que tenim per afrontar la interpretació del registre i la seva comprensió.

A vegades tens la sensació que es tracta d'un procés íntim de diàleg constant entre la part científica i la part personal de la ment. Les respostes sorgeixen sovint d'aquest debat, a mesura que nodreixes l'intel·lecte amb dades, exemples, imatges, experiències i opinions.

Sovint recordo les ensenyances del Dr. David Romano quan, a finals dels anys vuitanta del segle passat, ens oferia el seu saber en les classes de doctorat que impartia. El Dr. Romano ens parlava de com ens havíem d'apropar a la història, amb rigor i amb intuïció. Ens deia —i n'escrivia la fórmula a la pissarra— que la història era una constant (K) que era igual a I+I (K=I+I). La primera I corresponia a «informació», la segona a «imaginació» (tot i que potser seria millor dir-ne «intuïció», pensava jo), i ens deia: «A més informació, menys imaginació, i a menys informació, més imaginació».

En arqueologia aquesta fórmula funciona, tot i que cal tenir molt present que la intuïció, més que la imaginació, s'ha de fonamentar en coneixements sòlids procedents de diverses disciplines i àmbits del saber i de la vida.

Per sort, els arqueòlegs medievalistes tenim nombroses fonts d'informació que ens faciliten enormement la tasca, sempre complicada, de la interpretació del registre. Vegem, doncs, de quines eines disposem.

L'etnoarqueologia ha estat, des que L. R. Bindford als anys setanta del segle xx en fes el plantejament teòric i metodològic, un dels camins interpretatius del registre arqueològic que més bons resultats ha aportat. En un primer moment, dins del corrent processualista que pretenia descobrir les lleis universals que regeixen la conducta humana, i posteriorment dins la línia postprocessualista, més interessada en els processos cognitius, socials i ideològics que determinen aquesta mateixa conducta humana, l'etnoarqueologia ens ha permès disposar de claus interpretatives a partir de l'estudi de societats contemporànies primitives.

Si traslladem aquestes propostes a l'àmbit del medievalisme, trobem que les dades etnològiques encara són presents en el record d'algunes persones, als cellers i les golfes de moltes cases i als relats propers de tots aquells que s'han interessat pel món tradicional. Totes aquestes dades ens són útils, des de les obres de Violant i Simorra passant per les recents aportacions d'equips d'antropòlegs que han participat en l'Inventari del Patrimoni Etnològic de Catalunya (IPEC) fins a arribar a la nostra pròpia capacitat d'observació de les traces que, d'aquest passat, romanen encara visibles. Afegiria, a aquest conjunt de dades, les que procedeixen de la pròpia experiència i actuació, en el cas que ens atrevim a conrear un hort, encenguem la llar de foc o realitzem qualsevol altra acció allunyada dels processos industrials i tecnològics que envaeixen el nostre entorn immediat.

Per aquesta via obtenim informació sobre característiques i distribució dels espais, objectes quotidians, formes de treball i tècniques de producció, recursos naturals, creences i rituals, i un llarg etcètera de detalls sobre la vida tradicional que són indispensables per a una millor interpretació del nostre registre arqueològic.

En segon lloc, i en estreta relació amb l'etnoarqueologia, comptem amb les dades que ens aporta la iconografia. Les imatges artístiques ens forneixen una informació molt valuosa per a la interpretació arqueològica: objectes, espais i actituds són ben visibles en les obres d'art, des de les miniatures que il·luminen els manuscrits medievals fins als capitells que decoren els claustres dels monestirs, passant per les pintures murals i els retaules sobre fusta. Podem trobar-hi escenes de treball, domèstiques, litúrgiques, bèl·liques i d'oci. De vegades s'hi veuen objectes que es conserven en el registre arqueològic i també d'altres que habitualment no es conserven, com ara objectes de fusta i de fibres vegetals, tot oferint-nos una imatge molt més rica i variada de la cultura material dels nostres avantpassats medievals. Com a exemples podem esmentar les miniatures dels diferents exemplars del *Comentari a l'Apocalipsi* de Beat de Liébana, on veiem les enormes premses de biga; el *Codex Granatensis*, que conté una còpia del *De natura rerum* de Tomàs de Cantimpré i una còpia del *Tacuinum Sanitatis* d'Ibn Butlan, amb magnífiques il·lustracions sobre la natura i les activitats que s'hi porten a terme; el tapís de *Bayeux*, amb el magnífic relat de la conquesta normanda d'Anglaterra; la portada esculpida de Ripoll i les pintures murals de San Isidoro de Lleó, en què es poden apreciar tots els mesos de l'any representats per les activitats pròpies de cada un d'ells o el *Pórtico de la Gloria* de Santiago de Compostel·la, amb les representacions de músics tocant instruments.

Finalment els textos, ja siguin literaris, d'arxiu o tractats especialitzats, aporten una informació variada i abundant molt útil per a l'arqueòleg sempre que en faci una lectura en clau arqueològica, que no és la mateixa que solen fer els historiadors documentalistes. Els textos posen nom als objectes i n'indiquen el valor quan, per exemple, s'esmenten en deixes testamentàries o quan apareixen en inventaris de béns; donen notícia de l'existència d'unes determinades infraestructures —camins, canals—; de llocs d'hàbitat —masos, viles, pobles—; de castells, esglésies i monestirs; d'espais de treball —molins, fargues, camps—. També informen sobre esdeveniments que podien haver afectat el registre arqueològic —batalles, conquestes, terratrèmols...—; descriuen espais, especialment les cròniques o els textos literaris; informen sobre tècniques i processos productius, sobretot els tractats cientificotècnics, i aporten dades sobre el paisatge.

Dels textos escrits han sorgit els marcs interpretatius generals sobre l'edat mitjana, i a aquests marcs ens remetem quan intentem situar els jaciments en un context històric determinat. Sovint, però, l'arqueologia els ha modificat en aportar proves que contradiuen allò que algú va voler deixar testimoniat per escrit. Així, per exemple, l'obra repobladora del comte Guifré sobre les terres desertes de la Catalunya central ha quedat matisada per la recerca arqueològica, que ha pogut documentar la continuïtat de l'hàbitat en aquesta zona des de temps antics. Sense desmerèixer la tasca del comte Guifré, hauríem d'entendre-la com una obra reorganitzadora més que repobladora.

COM MOSTREM ELS RESULTATS DE LA RECERCA

Com tot treball tècnic, la recerca arqueològica i el mètode que apliquem en realitzar-la ens obliguen a redactar unes memòries en què es recull el treball que s'ha dut a terme, les dades obtingudes al camp i les determinades al laboratori. En aquestes memòries es recull el material en brut:

- Unitats estratigràfiques i les relacions entre elles, màtrix, planimetries, fotografies.
- Estudis de materials, inventaris, dibuixos, identificacions tipològiques, establiment de cronologies.
- Analítiques, materials analitzats, estadístiques, gràfics, identificacions i caracteritzacions.

Tot això acompanyat d'un context històric i geogràfic que inclou aspectes relacionats amb la geologia i la botànica i amb una primera interpretació dels resultats obtinguts.

Cal indicar la diferència evident entre les memòries procedents d'intervencions preventives fetes per professionals —i sovint vinculades a altres actuacions com ara restauracions o construccions d'infraestructures o de promocions immobiliàries— de les programades i realitzades dins de projectes d'investigació vinculats a institucions de recerca.

Les primeres estan condicionades per les característiques del projecte que les fa possibles i, en moltes ocasions, es veuen limitades pels mateixos plantejaments dels treballs. Això fa que de vegades no es pugui dur l'excavació més enllà de la zona afectada per l'obra, la qual cosa dificulta una visió global del jaciment i obliga a una excessiva precipitació en la realització de la intervenció. Per contra, aquest tipus d'intervencions solen disposar del pressupost necessari per concloure la feina dins d'una mateixa anualitat, i això permet fer una memòria completa del que s'ha excavat.

En el cas de les intervencions programades, la realitat és molt diferent. El treball de camp s'allarga anys i anys a causa de la reduïda disponibilitat de temps i recursos humans i financers, i no solen haver-hi limitacions en l'extensió a excavar. Això fa que disposem de molt de temps per a la reflexió i que puguem dedicar-nos a la formació de futurs arqueòlegs —en el cas de les excavacions realitzades des de les universitats—. Al contrari, les memòries sempre són provisionals, parcials i incompletes. Els resultats finals, les conclusions, tarden a arribar i, sovint, varien amb el temps a mesura que anem descobrint el que s'amaga al subsòl.

Independentment del tipus d'intervenció, la veritat és que la memòria tècnica no sol ser una bona eina per mostrar els resultats dels treballs a la comunitat, ja sigui científica no arqueòloga o a la societat en general. Difícilment les memòries són consultades pels no-arqueòlegs.

Els arqueòlegs hem de fer un esforç de difusió del nostre treball més enllà de la memòria tècnica a través de xerrades, jornades i publicacions científiques. En aquests entorns, hem de ser capaços de superar els aspectes més tècnics i oferir resultats i interpretacions que puguin ser emprats des de la història per a fer història. Aquest repte no sempre s'entén així, i massa sovint es fan contribucions en congressos i revistes que són un recull de dades tècniques que no aporten res al coneixement històric global. Una vegada més insisteixo en la necessitat d'interpretar i de situar les dades en el context històric global confirmant, completant o contradient allò que des dels textos s'ha anat construint.

En aquest sentit, sempre ha estat una eina extremament útil la visualització dels espais excavats a partir de representacions gràfiques que proposen una reconstrucció ideal d'allò excavat. Des dels dissenys a mà de M. Riu, com per exemple el de les construccions de fusta del Castellot de Viver fins a les reconstruccions en 3D fetes amb mitjans informàtics i presentades en format vídeo o en realitat virtual, com la del castell de Mur de Biosca, Vinyoles i Sancho (*Viure en un castell de frontera. Passeig virtual pels segles XI i XII*, www.xtec.cat/~ebiosca/prin.htm). Aquestes representacions visuals sempre són agosarades i fàcilment criticables, però al darrere hi ha una feina d'interpretació que només es pot fer a partir d'un treball rigorós i pacient per aconseguir, finalment, una representació que com a mínim sigui versemblant.

I PER CONCLOURE

Escriure sobre una feina que és a la vegada una manera de viure i d'entendre el món, una actitud davant de la vida i una experiència íntima de relació estreta amb el passat resulta emocionalment difícil. Al principi d'aquest text escrivia:

> El paletí que tenen a les mans va descobrint un nivell d'incendi atrapat entre els estrats de destrucció i d'ocupació des de fa segles.

Ahir mateix, en una conferència que feia davant d'alumnes de 2on d'ESO, un noi em preguntava què era el que m'havia emocionat més de trobar i li vaig detallar, precisament, l'olor del nivell d'incendi que feia més de 500 anys que estava atrapat. Segurament esperava una altra resposta i no sé fins a quin punt em va entendre, però la veritat era aquesta.

Si faig un esforç per superar aquest aspecte emocional, crec que allò que més m'apassiona d'aquest ofici és la seva complexitat, que en definitiva és la complexitat de la mateixa història, i la possibilitat d'emprar informacions procedents de moltes disciplines diferents.

M'atrau poder establir un intens diàleg entre les dades procedents de l'arqueologia de camp, del laboratori, de les analítiques, de la iconografia, de l'etnologia, dels textos escrits, de l'entorn físic. M'agrada desenvolupar una intuïció ben fonamentada que permet resoldre incògnites del passat.

I d'aquesta manera anem teixint l'espessa xarxa d'interaccions i relacions que ens porten a visualitzar els espais plens dels objectes que hem recuperat i de persones que actuen i es relacionen, que viuen en el passat: aquesta és la història viscuda, la que nosaltres busquem.

És en aquesta línia que l'arqueologia pren tota la seva força, quan pot servir de marc físic on situar les accions en el temps, els fets històrics grans i petits en què podem copsar la realitat de les formes de vida i deduir les motivacions que portaren els col·lectius humans, homes i dones, a actuar, fer, construir o destruir, lluitar o produir, néixer i morir, i fins i tot pensar d'una determinada manera.

És en aquest punt en què, definitivament, queda clar que la interdisciplinarietat i el diàleg entre fonts és l'únic camí que ens pot apropar, encara que només sigui una miqueta, a aquell ideal de tot historiador que els fundadors dels *Annales* anomenaven Història Total, una manera de fer i d'entendre la història que alguns volen donar per morta i que d'altres reivindiquem com a patrimoni historiogràfic necessari per construir la historiografia del segle XXI.[2]

2 Vegeu Carlos BARROS, *La Escuela de Annales y la Historia que viene* (2001). www.h-debate.com/cbarros/spanish/articulos/historio grafia_inmediata/escueladeannales.htm.

RECONSTRUCTING THE MIDDLE AGES
THROUGH ARCHAEOLOGY

This text is an adaptation of the lecture given at the University of Barcelona on 17 October 2012, within the framework of the eighth Seminar on Medieval Cultures organized by the IRCVM. It is also part of the project "Mountain communities in the transition from Late Antiquity to the Early Middle Ages", of the University of Barcelona.

Introduction

A few years ago, on the occasion of the publication of the monograph on the Castle of Mur, and in a moment of inspiration, I referred to the students who had taken part in its excavation with the following words:

> It is these boys and girls who develop a special sensibility and experience an indescribable emotion when, for example, a subtle smell of wet ashes invades their nostrils. The trowel in their hands uncovers a fire horizon trapped for centuries between layers of destruction and habitation. They discover archaeology through their senses: smell, touch, hearing, sight; only taste is missing, although I'm not entirely sure it does not end up involved in some cases of 'severe illness'.
>
> In those moments, smell, the sense through which we relive the most intense childhood memories, re-

veals an instant of an unknown past, and we strive to imagine how it happened, when, and why. The answers, provisional and pending revision, are not easy to get, and only a teacher can help us acquire the knowledge, skills and insights necessary to interpret the archaeological record. And so, slowly, insistently, with perseverance, patience and dedication, we all become to some extent teachers, and feel great personal satisfaction when we start to find our own ways of understanding.

The previous passage was written to explain the series of sensations and emotions that we archaeologists experience during an excavation, but it could also answer the questions we are often asked: "But why do you do it? What do you seek? Is it worth the effort?"

European Precedents

Archaeology — in particular medieval archaeology — has a long history in Europe. Its beginnings can be found in the early cataloguing of monuments that was conducted all over the continent since the late 18th century and throughout the 19th century. In the second half of the 19th century, this cataloguing activity was complemented with interventions aimed at the restoration of monuments according to the unscientific aesthetic ideals characteristic of that time. This is the case of the interventions by Viollet-le-Duc in the city of Carcassonne, and the restoration of Windsor Castle carried out by Augustus W.N. Pugin. It was, in short, an activity linked to what we call antiquarianism or collecting, and at the service of the romantic ideals of the age. During this period there were only a handful of proper excavations, mainly focused on places of worship and necropolises, and performed by archaeologists such as A. d'Andrade in Italy, Pitt-Rivers in England, Fischer in Norway and Stolpe in Sweden.

The first half of the 20th century was ideologically marked by Nazism and the reaction against it, with German and Polish authors as top representatives of these views. The former were in search of racial purity while the latter looked for their origins as far as possible from all Germanic influence.

In Germany, two names stand out: H. Jankuhn, especially for his methodological contributions to fieldwork, and G. Kossinna, whose ideas were used by

Nazi ideology to assert the historic rights of Germans over vast territories. Of great importance were the excavations at the site of Hedeby (in Danish) or Haithabu (in its Germanic form), situated at the border between Germany and Denmark, and those at the abandoned settlements of Hohenrode, Gladbach and Merdinghen. The Polish, striving to stress their differences with the Germans, excavated fortified sites — such as Biskupin, Kecko, Gniezno and Poznan — while J. Kostrzewski wrote an overview of the origins of Poland.

In England, archaeologists such as M.W. Beresford, W.G. Hoskins and M. Wheeler started archaeological research on deserted medieval villages. In Scandinavia, so-called rural archaeology developed with prominent names such as R. Blomqvist in Sweden, and G. Hatt and A. Steensberg in Denmark. At the same time, O. Rydbeck and B. Thordeman set in motion the first programmes in medieval archaeology at the universities of Lund and Uppsala, respectively. In Italy and France, new trends, focused on forms of habitation and the archaeology of death, were making headway with the excavation of Lombard and Merovingian necropolises, and the first studies of post-classical ceramic production were conducted in Italy by researchers such as G. Ballardi and L. Conton.

However, research in the field of medieval archaeology did not really proliferate until after World War II. It was then that the number of publications and institutions specialized in medieval archaeology increased, along with the universities that offered training in this discipline.

The activity of the Institute of History of Material Culture of the Academy of Sciences in Warsaw, led by medieval archaeologist W. Hensel from 1955 onwards, is the most noteworthy. Furthermore, between 1945 and 1950 more than 50 sites were excavated, mainly in cities destroyed during the war, and Marxist interpretive paradigms were applied with the common goal of discovering the origins of the Polish nation.

As for institutions and research organizations, we must mention the following: (1) in England, the Deserted Medieval Village Research Group, the Medieval Village Research Group, and the Society for Medieval Archaeology, and particularly the work of M. Beresford and J. Hurst at Wharram Percy; (2) in Italy, the Centro Italiano di Studi sull'Alto Medioevo in Spoleto, and the Laboratorio di Informatica Applicata all'Archeologia Medievale of Siena, as well as prominent sites such as Rocca San Silvestro, whose excavation was directed by R. Francovich; (3) in France, where the research carried out by G. Demian Archimbaud at the Castle of Rougiers should be highlighted, we find the Centre de Recherches Archéologiques Médiévales in Cahen, the Laboratoire d'Archéologie Médiévale in Aix-en-Provence, and the Centre d'Archéologie Médiévale du Languedoc in Carcassonne.

Specialized publications also began to multiply; important examples include: *Zeitschrift für Archäeologie des Mittelalters* in Germany, *Medieval Archaeology* in England, *Archéologie Médiévale, Cahiers Archéologiques, fin de l'Antiquité et Moyen Âge, Archéologie du Midi Médiévale* in France, *Archeologia Urbium* in Poland, and *Archaeologia Medievale* in Italy.

This research activity was accompanied by college-level teaching, and tens of European universities offered training in medieval archaeology, especially in Italy, France and England.

The Precedents in Catalonia and Spain

Despite the difficulties of the post-war period and the long dictatorship, the situation in Catalonia was rather similar to the one just described. The precedents, which can be traced back to the 19th century, include the cataloguing of monuments and interventions in architectural heritage, such as the restoration of the monastery of Ripoll performed by Elies Rogent. Medieval archaeology, however, remained in the shadow of prehistoric, protohistoric and classical archaeology until well into the 20th century, when the Institut d'Estudis Catalans, the Acadèmia de Bones Lletres of Barcelona and the Centre Excursionista de Catalunya launched several initiatives in this direction. Moreover, publications such as *Curso Breve de Arqueología y Bellas Artes*, authored by F. P. Naval in 1926, and *Nocions d'Arqueologia Catalana*, published by J. Gudiol in 1931, contributed to the development of the discipline. As for research, the works of J.M. Barandiarán, L. Torres Balbás, M. Gómez Moreno, L. Menéndez Pidal, L. Díez-Colonel, A. del Castillo, P. Verrié and P. de Palol should not be forgotten. But it is not until the publication of M. de Boüard's *Manuel d'archéolo-*

gie médiévale, in 1975, later translated and expanded by Manuel Riu, that we can truly speak of medieval archaeology as a discipline with its own identity in the Catalan and, by extension, the Spanish context.

The Spanish Association of Medieval Archaeology was founded in 1980, and the first Conference on Spanish Medieval Archaeology, which has already celebrated five editions, was held in 1985. As for Catalonia, the Conference of Medieval and Post-Medieval Archaeology was first organized in 1998 and held its fifth edition in Barcelona in 2014. Both conferences are focused around a central theme but there is also room to discuss the results of other excavations carried out in the period between conferences. Moreover, the Archaeological Service of the Generalitat of Catalonia organizes the Seminar on Archaeology and Palaeontology, which is usually based on territorial circumscriptions. The list of archaeological excavations in progress provided by this Seminar is the best tool to grasp the health of medieval archaeology, which, year after year, manifests its vitality through a large number of interventions. The *Tribuna d'Arqueologia*, organized annually by the same Archaeological Service, provides a selection of the most interesting or prominent excavations carried out in Catalonia. The proceedings published since 1982 evince the increase in the importance of medieval archaeology in Catalonia.

From the first hub at the University of Barcelona, where M. Riu imparted his teachings, university training in archaeology has been moving forward in both Catalonia and Spain. Nowadays, specialized teaching in this discipline is offered at universities all over the country, and special mention should be made of the universities of Granada and the Basque Country. However, most training in medieval archaeology is in the hands of professors who, on their own initiative, include it in their syllabi. Fortunately, this trend is changing and a variety of specialized courses are already offered within some undergraduate programmes in archaeology. For instance, the undergraduate programme in archaeology at the University of Barcelona offers the possibility of taking up to 45 credits on medieval topics — between compulsory and optional courses — out of a total of 240 credits.

Research and teaching have been accompanied by the publication of specialized journals, such as the *Boletín de Arqueología Medieval*, published since 1986 by the Spanish Association of Medieval Archaeology, and *Arqueología y Territorio Medieval*, published since 1994 by the University of Jaén, and the sections and annexes devoted to it in the journal *Acta Historica et Archaeologica Medievalia*, published by the University of Barcelona since 1980.

THE PRESENT SITUATION

Currently, medieval archaeology is in good health. In contrast to the not-so-distant past, no one dares to question the potential of archaeology for research on the medieval period, and there are many voices calling for a more prominent presence of this discipline, especially in the field of university education, where there is still much work to do.

Here, as elsewhere in Europe, the years of economic growth encouraged the emergence of professionalized development-led archaeology, and companies specialized in the excavation of sites threatened by building development and infrastructure construction proliferated. Most of these interventions uncovered an archaeological record dominated by evidence of medieval times, which gave a dramatic boost to our archaeological understanding of the Middle Ages. Moreover, research archaeology has increasingly opened up to new proposals and goals, going beyond the traditional approaches related to the study of deserted medieval villages and necropolises.

In fact, medieval archaeologists are actively involved in interdisciplinary projects to which they contribute their unique views, often alongside prehistoric, protohistoric and classical archaeologists, but also in close collaboration with documentalists, art historians, philologists and anthropologists. The variety of topics covered is growing, and new and innovative approaches are supplementing more conventional ones, such as the study of fortifications and monasteries. These new trends include the study of paleo-landscapes, the analysis of the organization and structuring of territory, resource exploitation and production techniques, architecture, building techniques, urban planning, and the evolution of cities and settlements, to name but a few.

However, we are aware of the road that still lies ahead. We need a more structured research organization, a more determined investment of resources and, on a personal note, greater coordination among people who are currently doing research in this area.

How to Understand Medieval Archaeology and Its Contributions

By the middle of the last century L. Febvre said:

> Texts must be used, yes, but all kinds of texts, and not only archival documents [...]. A poem, a painting, and a drama are also documents for us, testimonies of a living human history, impregnated with thought and potential action. [...] Because history is built on everything human ingenuity can devise and combine to replace the silence of texts, the ravages of oblivion. (Translated from Lucien FEBVRE, 1992 (1st French ed. 1952). *Combates por la historia*. Barcelona, Ariel: 29-30.)

Despite the time it took medievalists in our country to hear and accept these words, today no one doubts the importance of archaeology as a valid source for the study of the Middle Ages.

Later, in the 1970s, the archaeologist Edward C. Harris proposed the application of a archaeological method that ushered in current archaeology. It consisted of a stratigraphic method, the monitoring / register of context sheets, and the construction of what we call a matrix. This method was a real boost for medieval archaeology, especially in Catalonia, since it freed archaeologists from excavation methodologies that had been designed for prehistoric and protohistoric archaeology, but were ill-suited to the excavation of medieval structures.

This is not the place to discuss methodological issues, but I would nonetheless like to share a reflection. Method is important, especially because it allows us to record what no one else will be able to excavate again. It is necessary to know how to apply a method, and also how to adapt it to each site with both flexibility and rigour. But the method in itself is not our goal. Unfortunately, there are still many archaeologists who get lost in it, and are not able to go further and fulfil the real goal of archaeological research, which is, ultimately, the construction of historical knowledge.

In his work *Principles of Archaeological Stratigraphy* — translated into Spanish as *Principios de Estratigrafía Arqueológica* (Barcelona, Crítica 1991) — Harris defined the main objective of archaeological research. Contrary to what some people think, it is not finding more or less beautiful objects, nor discovering structures such as walls or silos, but "identifying actions in time". This beautiful, simple, and effective definition could also serve as a concise description of the aims of history itself.

The first question we archaeologists ask ourselves is: what happened? And the rest of the questions come easily after that:

- How did it happen? Was it an act of construction, destruction, abandonment, habitation, production, filling, or transformation?
- Who, or what, caused it? Was its cause natural, climatological, biological — either animal or vegetal — or was it anthropogenic? And if so, was it the result of individual or collective activity? Does it correspond to a particular human group? Is it characteristic of a particular culture?
- When did it happen? Is it possible to date it in relation to other actions identified in the record? That is, did it happen before or after some other event? Can we establish an absolute date on the basis of its characteristics, associated materials, and the eventual analyses that may be carried out later?
- Why did it happen? Here a distinction must be made between natural events and those caused by humans. The latter allow for several other ques-

tions: what was its purpose and function? Is it related to habitation, worship, production or military purposes?

- How much did it cost? And this question addresses not so much its monetary value but rather the effort it involved, which also includes its economic cost.[1]

To answer these questions, archaeologists survey, excavate, record, and monitor stratigraphic units — also called contexts — and materials, draw up floor plans, take photographs, study those materials in the laboratory, and perform various analyses. These components make up what we call the 'archaeological record'. All of it is the result of the method, and that is both the problem and the power of our task as archaeologists. Sometimes, it is so much work that, once made, we hardly have the time to continue the investigation and carry on to the truly difficult part, that is, constructing historical knowledge. But let us go beyond the method now and present an example of what we actually do.

1 This last question was suggested by Dr Rosa Lluch in her contribution to the round table that followed this lecture.

Take one of the objects most commonly found in the archaeological record, a fragment of pottery. The mere presence of a fragment of pottery in a specific archaeological context poses a series of issues.

Raw materials such as clays, tempers, water and fuel were essential to produce pottery. In fact, the production process began by securing these materials. Once clays were located in the nearby area, those exhibiting the desired quality were selected, extracted, and transported to the place where they would be handled. The same can be said for tempers, which include sand, ground minerals, and ground potsherd pieces, called 'grog'. Water supply had to be considered, either by proximity to a river or fountain, by leading the water through a pipe, or simply by transporting and storing it in the working area. Moreover, a regular fuel supply had to be procured in the form of firewood that was gathered, transported, and stored. All these actions took place prior to the production of the specific ceramic object, but without them there would be no object at all.

The next step was the manipulation of raw materials and the manufacturing of the piece. The techniques needed were more or less complex depending on the properties of the clays and the desired type of pottery, which also determined the different processes that were to be performed. These usually involved the manipulation of raw materials prior to the shaping of the piece, its decoration or glazing, drying under specific conditions, and firing.

Raw materials	Techniques / Processes	Facilities
Clays	Decantation	Extraction areas
Tempers	Sieving	Processing areas
Water	Shaping	Workshop with a potter's wheel
Fuel	Glazing/Decorating	Drying area
	Drying	Kiln
	Firing	Warehouse

The whole process implies the existence of workspaces and more or less complex and extensive facilities that can be located in different places: the area where raw materials are extracted, the area where these materials are manipulated before shaping, and the places where pieces are shaped, dried, fired, and finally stored. Despite not knowing where these actions took place, we can know for sure that they did happen and that, consequently, they led to the production of a piece of pottery, a small fragment of which we have found.

This opens another research line focused on how this fragment appeared at the spot where it was found. Was it produced nearby by locals, or was it rather the result of short- or long-distance trade contacts? Depending on the answer to these questions, we will consider either the existence of specialized artisans or the presence of merchants and contacts between various places, which would indicate the circulation of goods, people and ideas.

At the same time we must examine its functionality: who used it? In what context? To do what and to do it how? Simple questions whose answers are often complicated, and for which medievalists have the help of other disciplines and sources that we will introduce later.

This same process of analysis can be applied to any of the many objects made of different materials and with varied applications that we find in archaeological sites. Some required long production processes, such as metal objects, while some others were consumed shortly after their production, such as food products, which can be detected through chemical analyses and the finding of seeds and other biological indicators.

This is not the time to go into detail about the contributions of the analyses carried out on samples taken at archaeological sites, but they are increasingly providing more information about those features that are no longer visible. From a conceptual point of view, these data do not differ from those provided by any other object or artefact: they are material remains trapped between layers that can be placed within a given context. Whether pollen, seeds, charcoal, phytoliths, or other microscopic or macroscopic remains, the information they provide may be processed in the same way as any other material data, with the difference that their analysis itself allows for a series of statistical and graphical representations that are really interesting from an interpretive perspective. Let us look at the case of macroscopic biological remains, that is, fauna, and pollen analysis.

The first example provides information about the diversity of animal species whose bones have been recovered during excavation. As in any analysis, we must take into account some corrective aspects to avoid interpretive errors. In this case, for example, the recovered remains will not be representative of the entire fauna that existed in the area at a specific time, but only of those species that were present at the site, either dead or alive. Fauna analyses provide percentages of the presence of each identified animal species, and information about their manipulation for human consumption, such as the way in which they were quartered (cut, broken, etc.) and cooked (boiled, burned, etc.). In the case of pollen, once the prevailing winds are identified to determine the most likely point of origin, its analysis can provide very extended sequences in time that tell us about the evolution of the vegetation cover of a large territory, not just at the place where the sample was taken. Thus, it is possible to determine the increase or decrease of forest cover, the appearance or disappearance of crops, and the existence of areas dedicated to pasture.

As for spaces and structures, their study and interpretation follow similar guidelines to those outlined for objects. Once discovered, drawn, measured, photographed, and put in relation to other nearby structures, they are dated, identified and finally interpreted. In stratigraphically complex sites, the first step is to identify the different phases of occupation in order to relate the different structures to each of them. The evolution of a building, its extensions or reductions, changes of use, its destruction or reconstruction, are some of the aspects that need to be accurately defined before addressing its interpretation. As with artefacts and objects, we can raise issues such as the origin of the construction materials, their manipulation, the techniques employed, the architectural expertise needed and the final result, by analysing the spaces, their size, access points, lighting, and functionality.

This last step is what gives meaning to the whole research process. Determining the purpose of a specific space allows us to attempt a historical interpretation that provides it with content.

We have discussed artefacts, biological indicators, and structures, which, broadly speaking, are the material remains that can be found at archaeological sites. Let us now devote a few pages to the sites themselves. The 1977 translation and expansion of M. de Boüard's manual authored by M. Riu established a typology of medieval sites that, to some extent, is still valid today. This classification organized sites according to their main feature or most representative function, differentiating between places of habitation, defence sites, places of worship, and work areas.

Such typology would certainly be useful were it not for the fact that most medieval sites share some of the defining features of all these types of archaeological sites at the same time. This situation is perfectly exemplified by L'Esquerda (Roda de Ter-Osona), a habitation site where we find houses, squares and streets that define the nucleated settlement characteristic of a particular period of the Middle Ages. This site, however, has a magnificent church dedicated to St Peter surrounded by a necropolis of considerable size, some workspaces identified as a warehouse for roof slabs, a granary, a weaver's and a blacksmith's workshop, and a medieval wall built on structures from the Iberian period, which turns the place into a powerful fortification. L'Esquerda is where, according to the documents, the leaders of the so-called uprising of Aissò — in the ninth century — took refuge.

In view of this description, it seems difficult to classify this site into one of the categories defined by the aforementioned typology. It is true that, at certain stages of the research process, every site seems to belong to one of these types, but this is mainly the result of the archaeologist's own will, and of the requirements and goals of the specific research project, and not so much of the actual nature of the site. All sites are complex, and they must be understood as such unless we want to oversimplify research results. While we may recognize the dominance of one of the proposed types, we must be able to study and show this complexity, even when the discovery of a site that does fall into one of these categories could lead us to believe in its simplicity. The mere existence of a secluded necropolis, without a church or settlement in its vicinity, tells us about the people who lived nearby and ended up buried there. Therefore, it can only be understood insofar as its corresponding settlement is located or data about it is available.

Currently, the latest trends in archaeology consider that a site cannot be understood in its complexity without taking into account the surrounding territory: its relationship with other settlements of the same period, the road network, the features of its environment, the natural resources of the area, and their forms of exploitation. This is a step towards understanding the complexity of history by reconstructing it through archaeology. Thus, archaeological research, which is by definition local and difficult to extrapolate, can only build on the accumulation of data from multiple archaeological interventions that ultimately allows the production of a general overview by compiling all available contributions. Ch. Wickham provided a good example of this approach in his book *Framing the Early Middle Ages: Europe and the Mediterranean, 400-800*, whose Spanish translation was published by Crítica in 2008.

General overviews focused on medieval archaeology, at least on specific topics, are now starting to appear in Catalonia, and in Europe in general. However, the most common publications are miscellanies with contributions on a particular topic or area from several authors; volumes that often result from expert meetings. These contributions allow for the development of new theoretical frameworks that complement those exclusively derived from written sources, and offer a rich and varied view of the historical reality of our medieval past. In this sense, the works that address issues that can hardly be discussed only on the basis of documents, such as territorial organization, productive activities or funeral rituals, are especially interesting. At the same time, archaeology allows us to investigate periods where written texts were scarce, such as the centuries between Late Antiquity and the feudal era.

TOOLS FOR THE INTERPRETATION
OF THE MEDIEVAL ARCHAEOLOGICAL RECORD

Over the years it becomes evident that most of the skills that help interpret the archaeological record are unknowingly developed. The accumulation of knowledge, and the relationships that the mind is able to establish during the learning process are the most powerful tools we have to interpret and understand the record. Sometimes these seem the result of an intimate and constant dialogue between the 'scientific' and the 'emotional' part of the mind. As the intellect is nourished by facts, examples, images, experiences, and opinions, this debate provides answers.

I often recall the teachings of Dr David Romano who, in the late 1980s, shared with us his knowledge during the graduate courses he taught. Dr Romano usually said that we had to approach history with rigour and intuition. He claimed that history was a constant (K) which was equal to I+I ($K=I+I$) — he actually wrote the formula on the blackboard — where the first I stood for 'information' and the second one represented 'imagination' (although I used to think it might be better to call it 'intuition'). He added: "The more information, the less imagination, and the less information, the more imagination." This formula works for archaeology, but we must bear in mind that intuition, more than imagination, must be based on solid knowledge from various disciplines and fields of research, as well as on life experience.

Fortunately, medieval archaeologists have many sources of information that greatly facilitate the always complicated task of interpreting the record. Let us present the tools at our disposal.

Since L.R. Bindford established the theoretical and methodological basis of ethnoarchaeology in the 1970s, it has been one of the most successful interpretive frameworks for understanding the archaeological record. Ethnoarchaeology first followed the approach of processual archaeology that sought to discover the universal laws governing human behaviour. Later on, it focused on the cognitive, social and ideological processes that determine such behaviour, along the lines of post-processualist archaeology. In sum, ethnoarchaeology has provided interpretive keys through the study of primitive contemporary societies.

The transfer of these proposals to the field of medieval studies shows that ethnological data are still present in the minds of many people, in the cellars and the attics of many houses, and the personal stories of all those interested in traditions. From the works of Violant i Simorra, through the recent contributions of teams of anthropologists who have participated in the Ethnological Heritage Inventory of Catalonia (IPEC), to our own capacity for observing the still visible traces of this past, all this information is valuable to us. I would add to this set of data the knowledge that comes from our own experience, that is, if we dare to grow a garden, light the fireplace, or perform any other action without resorting to the industrial and technological processes that pervade our immediate environment. In this way we obtain information about the characteristics and distribution of spaces, everyday objects, work methods and production techniques, natural resources, beliefs and rituals, and many more details about traditional life that are essential for a better understanding of our archaeological record.

Closely related to ethnoarchaeology, iconography also provides valuable information for archaeological interpretation. Objects spaces and attitudes are clearly visible in works of art: the miniatures that illuminate medieval manuscripts, the capitals that decorate the cloisters of monasteries, altarpieces and wall paintings, among many other expressions. These artistic images depict work scenes, domestic scenes, liturgical, military and leisure settings. Sometimes they show objects that are present in the archaeological record, but occasionally they represent others which are not usually preserved, such as wooden objects or items made of vegetable fibres, thus providing a much more rich and varied picture of the material culture of our medieval ancestors. Some examples of this are: the different copies of the *Commentary on the Apocalypse* by Beatus of Liébana that include the depiction of huge beam presses; the *Codex Granatensis*, which includes a copy of Thomas of Cantimpré's *De Rerum Natura* and a copy of Ibn Butlan's *Tacuinum Sanitatis* with magnificent illustrations of nature and outdoor activities; the Bayeux Tapestry and its elaborate representation of the Norman conquest of England; the sculptured portico of Santa Maria de Ripoll and the wall paintings of San Isidoro de León, where the months are represented by several activities; and also the Portico de la Gloria of the cathedral of Santiago de Compostela, which portrays musicians playing their instruments.

Finally, literary and archival texts, as well as specialized treatises, offer archaeologists varied and abundant information, provided that they are read from an archaeological perspective, which is rather different from the views of historians who work mainly on documents. Texts give names to objects and indicate their value when, for example, they appear in bequests and inventories, and inform of the existence of certain infrastructures (roads, channels), habitation areas (*masos*, towns, villages), castles, churches, monasteries and workspaces (mills, forges, fields). They also report on events that could have affected the archaeological record (battles, conquests, earthquakes), describe spaces — especially in the case of chronicles and literary texts — detail technical and production processes — especially scientific and technical treatises — and provide information about the landscape.

Written texts were the source for the general interpretive frameworks we refer to when trying to place medieval archaeological sites within a specific historical context. Quite often, however, archaeology has changed those frameworks by providing evidence that contradicts what someone purposefully left in writing.

For instance, the repopulation policy of Count Guifré in the deserted territories of central Catalonia has been clarified by archaeological research that documented the continuity of occupation in this area since ancient times. Without detracting from the contribution of Count Guifré, we should understand his intervention more as a reorganization than as a repopulation.

SHOWING RESEARCH RESULTS

As with all technical work, archaeological research and the methods applied to carry it out force us to write reports that include the tasks performed and the data obtained both through fieldwork and in the laboratory. These reports compile raw data:

- Stratigraphic units and the relationships between them, the matrix, floor plans and photographs.
- Studies of materials, inventories, drawings, typological identifications, timelines.
- Chemical analyses, materials, statistics, graphs, identifications and characterizations.

This information is also accompanied by a historical and geographical contextualization that includes geological and botanical features as well as an initial interpretation of the results.

There are obvious differences between the reports of development-led interventions carried out by professionals — often linked to other activities such as the construction of infrastructures, building restoration, and development — and the reports of research excavations conducted as part of projects linked to research institutions. The former are conditioned by the characteristics of the project that makes them possible. This means that the excavation is usually focused on the areas to be affected by construction works, which makes a comprehensive view of the site difficult, and that time constraints must be factored in. On the contrary, these interventions often have the funding necessary to complete the work within the same year, which allows one to produce a full report of what has been excavated.

In the case of research excavations, fieldwork extends over many years due to the reduced availability of time, workforce and funding, and it rarely involves limitations on the extension that can be excavated. This situation offers much time for reflection and allows for the training of future archaeologists in the case of excavations organized by universities. By contrast, the reports are always provisional, partial, and incomplete. Final results and conclusions are slowly drawn, and often vary over time as we discover what lies underground.

Regardless of the type of intervention, the fact is that the technical report is usually not the ideal means of showing the results of our work to the scientific non-archaeological community, or to society in general. In fact, reports are hardly ever consulted by anybody other than archaeologists. Therefore, we archaeologists have to make an effort to disseminate our work through lectures, seminars and scientific publications, and to go beyond the most technical aspects by providing results and interpretations that may be used by historians to reconstruct history. This challenge is not always well understood, and too often the papers delivered at conferences and published in journals are a mere compilation of technical data that do not contribute to global historical knowledge. Again, I am stressing here the need to interpret and place the data within the global historical context, thus confirming, complementing, or contradicting what has been built solely on texts.

In this sense, presenting excavated sites through graphic depictions that propose ideal reconstructions has always been an extremely useful tool: from M. Riu's drawings, such as that of the wooden buildings of the *castellot* of Viver, to 3D computer reconstructions and virtual reality visualizations, such as that of the Castle of Mur created by Biosca, Vinyoles and Sancho (*Viure en un castell de frontera. Passeig virtual pels segles xi i xii*, www.xtec.cat/~ebiosca/prin.htm). These visual representations are always bold and easily objectionable, but behind them lies a task of interpretation that can only be undertaken through a thorough and patient effort that finally produces a result which is at least plausible.

TO CONCLUDE

Writing about a profession that is at the same time a way of living and understanding the world, an attitude towards life, and an intimate experience of close relationship with the past is emotionally difficult. Earlier in this text I wrote:

The trowel in their hands uncovers a fire horizon trapped for centuries between layers of destruction and habitation.

Yesterday, in a talk I gave before high school students, a boy asked me what excited me the most about my job, and I explained in detail the smell of a fire horizon that had been trapped for more than 500 years. He probably expected some other answer, and I do not know how much he understood of what I said, but that was certainly the truth.

If I make an effort to go beyond this emotional aspect, I think that what I love most about this profession is its complexity, which ultimately is the complexity of history itself, and the possibility of using information coming from many different disciplines.

Establishing an intense dialogue between the data from archaeological fieldwork, from the laboratory and from chemical analyses, from iconography, ethnology, written texts and the physical environment is what I find most appealing; as much as being able to develop an informed intuition that may help solve the mysteries of the past.

This is how we weave a thick web of interactions and relationships that lead us to visualize spaces filled with the objects we have recovered and the people who acted and interacted there, who lived in the past: this is the living history that we seek.

It is there that archaeology takes full force by serving as a physical framework where actions can be placed in time, along with the great and small historical events that allow us to grasp the reality of different ways of life, and to deduce the motivations of human communities — of men and women — to act, build and destroy, fight and produce, be born and die, and even to think in a certain way. Therefore, interdisciplinarity and the dialogue between sources appear as the only way to get at least a little bit closer to every historian's ideal: the concept that the founders of the *Annales* called Total History; a way to understand history that some people wish to declare dead and others claim as the essential heritage of 21st century historiography.[2]

Translation: PangurBàn, SL

2 See Carlos Barros, *La Escuela de Annales y la Historia que viene* (2001). www.h-debate.com/cbarros/spanish/articulos/historiografia_inmediata/escueladeannales.htm.

Lliçons / Lessons